LES COPAINS DU
LE CHIEN
À GARDE
PARTAGÉE

Larry Dane Brimner • Illustrations de Christine Tripp
Texte français d'Hélène Pilotto

Éditions
■SCHOLASTIC

À mes amis de l'école primaire Brooks
— L.D.B.

À Julie, qui a toujours cru en moi et
qui m'a toujours encouragée
— C.T.

Catalogage avant publication de la
Bibliothèque nationale du Canada

Brimner, Larry Dane
Le chien à garde partagée / Larry Dane Brimner;
illustrations de Christine Tripp;
texte français d'Hélène Pilotto.

(Les Copains du coin)
Traduction de : Everybody's Best Friend.
Pour enfants de 4 à 8 ans.
ISBN 0-439-96270-6

I. Tripp, Christine II. Pilotto, Hélène III. Titre.
IV. Collection : Brimner, Larry Dane. Copains du coin.

PZ23.B7595Chi 2004   j813'.54   C2004-902785-9

Édition publiée par les Éditions Scholastic, 175 Hillmount Road, Markham (Ontario) L6C 1Z7.

5 4 3 2 1   Imprimé au Canada   04 05 06 07

Un livre sur

le partage

Les Copains du coin donnent
le bain à Jules. Ils frottent
et grattent. Ils grattent
et frottent.

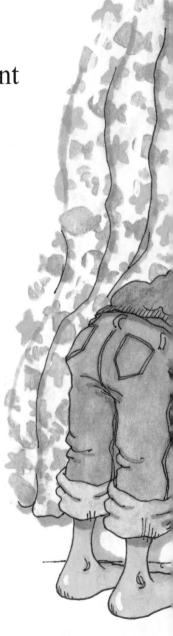

Jules se secoue.

— Hé! protestent les Copains du coin.

Jules réussit toujours à tremper tout
le monde quand il prend un bain.

7

JP, Gaby et Alex se surnomment les Copains du coin parce qu'ils habitent le même immeuble au coin de la rue. Jules est le chien dont ils se partagent la garde.

Gaby caresse le museau humide de Jules.

— Vous souvenez-vous quand Jules est arrivé parmi nous? demande-t-elle à ses amis.

9

C'était au printemps dernier. Par
un beau samedi ensoleillé, JP et son
père s'étaient rendus au refuge des
animaux pour y choisir un chien.
Gaby et Alex les accompagnaient.

JP avait tout de suite aimé Jules.

— C'est celui-ci que je veux!
s'était-il exclamé.

Jules agitait la queue si fort
que tout son corps en tremblait.
Il léchait le visage de JP.

13

JP riait. Il avait dit à ses amis :

— Vous devriez vous choisir un chien, vous aussi.

— Grand-maman dit que nous n'avons pas l'espace nécessaire, avait répondu Gaby en soupirant.

— Maman dit que nous n'avons pas les moyens, avait répondu Alex en hochant la tête.

— C'est une lourde responsabilité d'avoir un chien, avait expliqué le père de JP. Il faut le promener et le nourrir. Il faut le laver. Il faut lui accorder beaucoup d'attention.

— Je vais faire tout cela, avait répondu JP. Nous serons les meilleurs amis.

17

— Je croyais que nous étions tes meilleurs amis, avait dit Gaby.

JP n'avait pas su quoi répondre.

19

— Tu devras trouver une solution pour les mardis et les jeudis après l'école, avait ajouté le père de JP. Jules ne peut pas venir visiter ta grand-mère avec nous.

Personne n'avait parlé durant le trajet du retour. JP pensait à ce que son père lui avait dit à propos des visites à sa grand-mère. Il pensait à Gaby et à Alex. Ses deux amis étaient tristes.

Tout à coup, Jules avait sauté sur la banquette arrière. Il était arrivé en plein sur les genoux de Gaby. Gaby s'était mise à rire. Alex riait aussi.

25

C'était à ce moment que JP avait
eu sa fameuse idée :

— Nous allons partager Jules!

Gaby et Alex ne comprenaient
pas ce qu'il voulait dire.

— Jules va vivre chez moi, avait expliqué JP, mais les mardis et les jeudis après-midi, il peut rester avec vous. Comme ça, il sera notre ami à tous, pas juste le mien.

C'était une merveilleuse idée!